Catalogage avant publication de Bibliothèque et Archives nationales du Québec
et Bibliothèque et Archives Canada

Marois, André, 1959-

Lâchez les chiens!

(Collection Zèbre)
Pour les jeunes de 10 ans et plus.

ISBN 978-2-89579-759-3

I. Titre. II. Collection : Collection Zèbre.

PS8576.A742L32 2016   jC843'.54   C2016-940530-3
PS9576.A742L32 2016

Dépôt légal – Bibliothèque et Archives nationales du Québec, 2016
Bibliothèque et Archives Canada, 2016

Direction éditoriale : Gilda Routy
Direction littéraire et artistique : Thomas Campbell
Révision : Sophie Sainte-Marie
Conception graphique, couverture et pages intérieures : Kuizin Studio (kuizin.com)
Photographies et illustrations : Christine Battuz et Marc Serre, Kuizin Studio (kuizin.com),
thenounproject.com collection : « Eagle Eye » par Gerhard Meier (p. 86, p. 96)

© Bayard Canada Livres inc. 2016

Financé par le gouvernement du Canada  Canadä

Nous reconnaissons l'aide financière du gouvernement du Canada par l'entremise
du Fonds du livre du Canada (FLC) pour des activités de développement de notre entreprise.

 Conseil des arts   Canada Council
du Canada   for the Arts

Nous remercions le Conseil des arts du Canada de l'aide accordée à notre programme de publication.

Cet ouvrage a été publié avec le soutien de la SODEC.
Gouvernement du Québec – Programme de crédit d'impôt pour l'édition de livres – Gestion SODEC.

 Bayard Canada Livres
4475, rue Frontenac,
Montréal (Québec) H2H 2S2
edition@bayardcanada.com
bayardlivres.ca

Imprimé au Canada

Offert en version numérique
978-2-89770-051-5
bayardlivres.ca

LÂCHEZ LES CHIENS!

André Marois

À Malie, Zéro, Rex,
Canaille, Skip, Niger et Dali,
qui ont fini par me faire
aimer les chiens.

LÂCHEZ
LES CHIENS!

André Marois

COLLECTION ZÈBRE

Appelle-moi, j'ai perdu mon téléphone
Mercredi, 11 h 05

Jay éteint le moteur, allume les feux de détresse.
Il est mal garé, mais il en a pour trois minutes.
— C'est beau, Rex ! Je vais chercher Zéro.

Le gros doberman obéit aussitôt et se couche dans
la camionnette. À l'arrière, les deux banquettes ont
été enlevées pour laisser toute la place aux chiens qui
bougent en permanence sur les cartons étendus au
sol. Ça se lèche, ça se renifle, ça se bataille.

Jay ajuste sa casquette sur ses longues mèches noires, puis déploie son grand corps filiforme pour sortir.

Son trousseau en main, la bonne clé entre le pouce et l'index, il marche vers chez Lynou. Elle habite un duplex en brique, qui ressemble à tous les autres alignés sur ce bout de la rue Rivard, au cœur du Plateau-Mont-Royal.

Jay vient ici deux jours par semaine. Le temps est superbe, chaud, mais c'est normal en juillet. Pour une fois qu'il ne pleut pas, ils vont en profiter.

Devant la porte de Lynou, un homme semble attendre. La trentaine sportive, tenue décontractée de bon goût, coupe de cheveux fraîche, teint cuivré : il sourit à l'adolescent qui s'approche d'un pas rapide.
— C'est toi, Jay ?

Le type s'exprime en français avec un net accent mexicain. Le promeneur de chiens acquiesce mollement, sur ses gardes. L'inconnu lui tend sa paume ouverte. Jay doit changer son trousseau de main pour le saluer.

— *Jé souis* Pedro, *oune* ami de Lynou.

Que fait-il là ? Lynou part tôt et rentre tard pour aller travailler. C'est pour ça qu'elle emploie un promeneur ces deux journées-là. Elle préférerait sortir son chien elle-même, mais, depuis un an, elle n'a pas le choix à cause de ses horaires de fous.

Habituellement, c'est Patrick qui s'en charge, mais il se fait remplacer par Jay quand il est débordé, malade ou en vacances comme en ce moment. Jay adore ce boulot. C'est simple : il aime les chiens, la solitude et le plein air. Pour lui, ce n'est que du plaisir. En plus, c'est mieux payé que de vendre des hamburgers ou des crèmes glacées.

À dix-sept ans, il vient de finir son secondaire et il souhaite profiter à fond de l'été avant le cégep. Avec l'argent gagné en juillet, il a prévu faire le tour de la Gaspésie sur le pouce, en solo. Il a hâte.

L'homme ne semble pas vouloir s'éloigner.

Comme s'il attendait Jay. Il désire quelque chose.

— J'ai oublié mon téléphone hier soir chez Lynou.
Et elle m'a déjà parlé de toi. *Tou* viens chercher
Zéro pour sa balade, c'est bien ça ? J'espérais que
tou passerais.

Pedro connaît le nom du labrador noir, de sa
maîtresse et du promeneur. Ça devrait sécuriser Jay,
mais celui-ci a reçu des consignes strictes de Patrick :
« Tu ne laisses entrer personne avec tes clés. Jamais !
C'est moi qui suis responsable. » La question ne
s'était jamais posée jusqu'à aujourd'hui.

Jay fronce les sourcils et ne répond rien. Pedro sourit
de plus belle, même si on perçoit son agacement.

— OK, *jé* comprends, *tou* ne m'as jamais *vou*.
Mais, voilà ce que *jé* propose : *tou* appelles mon
téléphone. On entendra sonner dans l'*apartamento*
et *tou* sauras que *jé* dis vrai. *Tou* verras mon nom
et *tou* auras mon numéro en mémoire, s'il arrive
quoi que ce soit.

Jay hésite encore.

— J'en ai vraiment besoin. *Jé* dois recevoir des coups de fil importants pour le boulot. *Jé* ne peux pas attendre Lynou jusqu'à la *noche*. J'ai pris *dou* temps sur mon heure de lunch, mais il faut que j'y retourne avec mon cell.

Jay sait que Lynou n'a pas de cellulaire. Il n'a pas son numéro au travail, il devra le lui demander. Il ne peut donc pas vérifier si elle connaît ce Pedro. Mais sa proposition paraît honnête. Et puis, il a une bonne figure, ce Mexicain.

Pedro donne enfin son numéro à Jay. Celui-ci déverrouille la porte. Zéro se précipite dehors, tout excité. Il va de Jay à Pedro, quémandant des caresses. Il semble connaître l'homme, et cela finit de convaincre Jay.

Ils rentrent le chien avec eux. La maison est étroite, construite sur deux niveaux. Lynou occupe l'appartement du bas, un deux et demie sombre.

Jay n'a jamais été plus loin que le vestibule.
D'habitude, il ouvre, appelle Zéro et part avec lui.

Jay compose le numéro, attend. On entend alors une
sonnerie très faible. Ils vont dans cette direction.

Le logement est en désordre. C'est la première fois
que Jay voit la chambre avec le salon et la cuisine
attenante, et il a l'impression de débarquer
à l'improviste dans l'intimité de la jeune femme.
C'est dérangeant.

Un soutien-gorge noir est accroché à une poignée de
porte. Des chaussettes tirebouchonnées traînent au
pied du lit. Une pile de livres menace de s'affaisser.
Des documents reliés par des spirales sont ouverts
et épars avec des magazines sur une table. La plante
verte perd ses feuilles, sa terre desséchée ne semble
pas avoir été arrosée depuis longtemps.
— Je l'ai ! s'écrie Pedro depuis la salle de bain.

La sonnerie agaçante cesse enfin. L'homme revient
dans le salon. Il brandit un téléphone dernière
génération, le visage rayonnant. On dirait qu'il vient
de gagner le gros lot à la loterie.

— Merci, Jay ! *Jé* sais que *tou* n'es pas censé faire ça,
mais, franchement, *tou* me sauves la vie.
¡ Muchas gracias !

Il en fait des tonnes, mais il paraît sincère.
Ils ressortent avec le chien. Jay ferme à clé.
Pedro lui broie la main pour lui exprimer toute sa
reconnaissance, puis il monte dans une vieille Golf
noire au pare-brise fendu presque de part en part.

Jay se dépêche jusqu'à la camionnette. Il fait glisser la porte coulissante d'une trentaine de centimètres, pas plus, pour retenir les huit chiens à l'intérieur, tout excités après cette trop longue attente. Zéro les rejoint en grondant un petit coup, histoire de signifier qu'il ne se laissera pas marcher sur les pattes. Ça s'agite dans la Chrysler qui tangue sur ses amortisseurs fatigués.

Jay s'installe au volant.
— Du calme, les pitous !

Sa voix provoque une accélération instantanée du battement des queues. Elles cognent contre les fenêtres avec force, attirant l'attention des piétons qui se demandent qui est ce jeune gars qui promène une meute dans sa bagnole rouillée. Ça l'amuse.

Il observe la voiture de Pedro qui passe devant lui et s'éloigne vers le nord.
— J'espère que j'ai pas fait une connerie, ma belle Malie, dit-il à un vieux border collie gris et noir qui tente de lui lécher le visage.

Il doit y aller, car il doit encore récupérer deux autres chiens avant de gravir le mont Royal. Aujourd'hui, il a prévu le circuit long.

Avant de démarrer, il compose le dernier numéro appelé. Pedro répond aussitôt avec son accent facilement identifiable.
— Jay ? Qu'est-ce qui *sé* passe ?
— Rien. Je me suis trompé. *Bye* !

Il coupe la communication. Bon, Pedro répond à son téléphone en conduisant, mais au moins il réagit quand il lit son nom sur l'afficheur. Ça ne prouve pas grand-chose, mais Jay ne tient vraiment pas à ce que Patrick apprenne qu'il a fait entrer un inconnu chez une cliente pendant son absence.

À priori, Jay ne voit aucune raison pour qu'il le sache.

Il laissera quand même un mot à Lynou pour lui expliquer, quand il ramènera Zéro chez lui après la balade. Oui, c'est la bonne idée du jour.

L'adolescent met enfin le contact, démarre en douceur. Il baisse la vitre côté passager, et trois têtes se penchent aussitôt à l'extérieur. Les chiens sont joyeux de nature, Jay aussi.

Même si, aujourd'hui, il repart de chez Lynou avec une drôle d'impression.

Temps de chien
Jeudi, 11 h 02

Ça pue le chien mouillé dans la camionnette.

Jay stationne à sa place interdite habituelle au coin de la rue Rivard. Il enfonce le bouton des feux de détresse et trifouille le trousseau pour isoler la bonne clé. Aujourd'hui, c'est un setter qui jappe quand Jay sort de la Chrysler.

— C'est beau, Skip ! Je vais chercher Zéro.

Il court sur le trottoir détrempé. Pas de Pedro en vue ; personne ne l'attend devant chez Lynou cette fois-ci. Tant mieux. Il déverrouille la porte, entre dans l'appartement. Le mot qu'il a laissé la veille est toujours à la même place. Jay jurerait qu'il n'a pas bougé d'un centimètre.

— Zéro !

Aucune réaction. D'habitude, quand le chien n'est pas déjà sur le seuil, il se précipite en entendant son nom. Il doit dormir.

— Hé, Zéro ! C'est l'heure de ta balade.

Jay perçoit alors un gémissement en provenance de la cuisine. Il s'avance prudemment. Tout semble comme la veille. Zéro est assis, immobile, face à sa gamelle vide.

— Tu as soif ?

J'ai soif
soirf !
ssssoirf !
soirf !

Jay remplit son bol d'eau. Le chien boit aussitôt avec avidité en éclaboussant le plancher.

— Lynou t'a oublié, mon pitou. Tu vas voir, tous tes amis sont là.

Zéro bat de la queue, mais il reste au même endroit, les oreilles dressées, fixant la porte gauche du placard.

— Allez, viens !

Jay fait mine de partir, mais le labrador ne le suit pas. Il gémit doucement. Son promeneur ouvre alors la porte qui intéresse tant l'animal. Il découvre un grand sac de nourriture pour chiens.

— C'est ça que tu veux ? Lynou a aussi oublié de te donner à manger ? Elle travaille trop, ta maîtresse.

Il verse une tasse de croquettes dans la gamelle. Zéro la dévore en un rien de temps.

— Ouais, t'avais faim, on dirait.

Ils rejoignent enfin la meute du jeudi. La pluie redouble

d'intensité. Les essuie-glaces ont du mal à balayer les grosses gouttes. Pas étonnant, vu qu'ils semblent avoir le même âge que la camionnette de Patrick. Il la prête à Jay.

Jay caresse Zéro. C'est déjà arrivé que Lynou oublie la laisse ou le collier de son chien, car elle part à la dernière minute de chez elle. Mais elle n'avait jamais omis de le nourrir.

Il démarre et conduit prudemment. L'adolescent a obtenu son permis dès qu'il a eu seize ans, exprès pour pouvoir remplacer Patrick. Ses parents lui ont payé la moitié des cours, et son travail a financé l'autre partie.

Deux arrêts plus tard, après avoir récupéré un husky nommé Léo, et Niger, un petit épagneul caramel, ils se dirigent vers un parc à chiens situé sous le viaduc du Mile End, en bordure de la voie ferrée. Plus ils s'approchent, plus les chiens s'agitent et aboient. Ils connaissent le chemin par cœur et savent qu'ils

arrivent à destination. Jay a déjà essayé de prendre des détours, mais les chiens se repèrent pareil.
Le vacarme est bientôt intenable dans la voiture.

Jay se met des bouchons dans les oreilles et se gare en face de l'entrée du parc. Il enfile des gants et un imper jaune, puis va ouvrir la porte grillagée et fait enfin glisser celle de la camionnette.
La meute bruyante se précipite. C'est tapageur et impressionnant.

Ils sont les seuls dehors par ce temps pourri.
Les chiens semblent se moquer des gouttes, jouant, flairant, courant comme d'habitude.

Ils font tous leurs besoins. Ils n'attendaient que ça, on dirait. Jay, à l'abri sous un arbre, les laisse s'agiter. Il saisit ensuite une pelle appuyée contre un poteau et fait le tour du parc pour ramasser les crottes. Toujours très relax. Après, il sort deux balles de ses poches et les lance aux bêtes qui jappent de plus belle.

La meute court après la bleue. Rex se précipite vers la rouge. C'est sa balle. Il la rapporte aussitôt à Jay. Personne, à part Jay et son maître, n'a le droit d'y toucher. Aucun chien n'ose disputer sa balle au molosse.

La sortie dure quand même un peu moins longtemps que les autres jours, car Jay a les pieds trempés. Ses souliers sont imbibés d'eau.

La tournée reprend dans le sens inverse, à travers le Mile End, une partie de Rosemont et le Plateau. Les chiens se sont calmés. Il faut chaque fois trouver une place pour se garer et la clé pour déverrouiller, sortir le bon chien avec sa laisse, le ramener chez lui, taper le code si nécessaire pour couper l'alarme, puis la remettre et repartir sans oublier de verrouiller.

Ça demande un minimum de concentration.

L'odeur de chien mouillé dans la camionnette atteint un paroxysme, même avec toutes les vitres ouvertes. Quand Jay rentre chez lui, sa mère l'envoie sous la douche en se bouchant le nez. Aujourd'hui, ça ira, car ses parents sont en camping aux Îles-de-la-Madeleine.

Jay raccompagne Zéro en dernier.
Ça lui évite les détours.

De retour sur Rivard, il descend avec le labrador et ses clés. Il entre chez Lynou et demande à Zéro de patienter. Il attrape un panier installé sur une étagère et y trouve une serviette. Il commence aussitôt à essuyer le labrador qui se laisse frotter avec bonheur.

Jay s'apprête à repartir quand un détail retient son attention : le papier qu'il avait écrit la veille, et qui était encore là deux heures plus tôt, a disparu. Lynou serait-elle revenue entre-temps ?

C'est possible. Pourtant, il a un doute. Il doit en avoir le cœur net.

Jay ôte avec difficulté ses souliers trempés et se dirige vers la cuisine.

Il se fige en découvrant la scène. On dirait qu'une tornade est passée par là. Une bouteille est brisée. Tous les contenants sont vides, farine, sucre et riz répandus dans les deux bacs de l'évier. Le sac de croquettes a subi le même sort, et Zéro se précipite sur le festin étalé sur le sol.

Un cambriolage !
Les voleurs ont vraiment cherché partout.
Les meubles sont retournés, les coussins éventrés, les tableaux décrochés.

C'est plus qu'un simple vol, semble-t-il.

Estomaqué, Jay regarde dans le minisalon où il découvre des dossiers ouverts, des papiers qui jonchent le sol. Dans la chambre, le lit est à l'envers. Ça ressemble plutôt à un saccage. Il prend peur.

Il faut appeler la police, mais Jay n'est pas censé se trouver dans la maison. Il travaille au noir, sans être déclaré, sans assurance. Il pourrait mentir, affirmer qu'il est un ami, qu'il promène Zéro par amour des animaux. Ce qui n'est pas tout à fait faux.

Non, il doit d'abord avertir Lynou, mais comment ? Elle ne peut pas rentrer et découvrir son appartement dans cet état.

Qui prévenir d'autre ?
Patrick est en vacances au Costa Rica, injoignable.

Ses parents en camping ne lui seront d'aucun secours.

Pedro ? Jay ne sait rien de ce type.

Jay est un solitaire. Il ne veut mêler aucun de ses amis à son histoire.

Zéro renifle partout, conscient de la visite d'un ou de plusieurs étrangers.

Jay décide de ranger le plus gros du désordre et d'attendre Lynou pour la soutenir dans son malheur. Au minimum, l'adolescent va ramasser le verre cassé pour éviter que Zéro se blesse, et la bouffe répandue, pour qu'il ne se goinfre pas.

Il aime bien Lynou. La première fois qu'ils ont discuté, c'était sur le pas de la porte, un jour où elle était malade. Elle a une trentaine d'années, les cheveux très courts et un éternel bandana noir autour du cou. C'est une jeune femme curieuse et rigolote. Elle lui avait posé plein de questions sur son école, son futur cégep et sur les chiens. Quand il a dit qu'il s'intéressait à l'écologie, elle s'est enflammée. Depuis, ils se sont croisés à plusieurs reprises à l'épicerie du coin et, chaque fois, ils ont parlé d'énergie solaire, de pistes cyclables et de jardins urbains.

Un jour qu'il raccompagnait Zéro devant sa porte, elle lui a chuchoté de l'embrasser et de la serrer dans ses bras. Jay a hésité, mais elle a expliqué :

— C'est à cause du type en face. Il n'arrête pas de me surveiller depuis chez lui. Je veux lui montrer que je ne suis ni seule ni peureuse.

Jay voit souvent le rideau bouger quand il vient. L'homme est dans la trentaine. Il est toujours derrière sa vitre. Il fait quoi, dans la vie : étudiant, chômeur, travailleur indépendant, vendeur de drogue ?

Jay prend des photos des lieux pour montrer leur état quand il est arrivé.

Soudain, il pense à un détail important. Il va observer la serrure : aucune trace n'indique qu'elle a été forcée. Jay va ensuite vérifier la porte qui donne sur la petite cour. Mais là encore, rien d'anormal à signaler. Il teste enfin les poignées de toutes les fenêtres : elles sont bien fermées de l'intérieur.

Le visiteur s'est donc introduit ici avec un double de la clé. Ou alors il est serrurier. Ou encore c'est un expert en cambriolage. En tout cas, ça ne peut pas être Pedro, puisqu'il n'a pas la clé.

À moins que le coup du cellulaire perdu n'ait été qu'une ruse pour éviter de devenir suspect ?

Et s'il avait subtilisé une clé lors de leur visite de la veille ? Jay culpabilise. Il aurait dû demander au Mexicain de rester dehors.

Il traverse la rue et va sonner chez le voisin. Il a dû voir quelque chose, puisqu'il est toujours là. Sauf aujourd'hui, car il ne répond pas. Comme par hasard.

Jay retourne chez Lynou et se dépêche de ramasser les croquettes avant que Zéro les mange toutes. Ce chien est un véritable aspirateur.

Ensuite, il vide le contenu de l'évier dans des sacs-poubelles recyclables qu'il a trouvés dans le placard.

Il redresse les meubles, replace les cadres, rempile les livres et les magazines. Lynou lit beaucoup. L'adolescent s'attarde sur les titres, en français comme en anglais : ça traite surtout d'environnement et d'énergies renouvelables. Pas étonnant. Il y a aussi quelques romans policiers et des BD.

Changeons le système, pas le climat

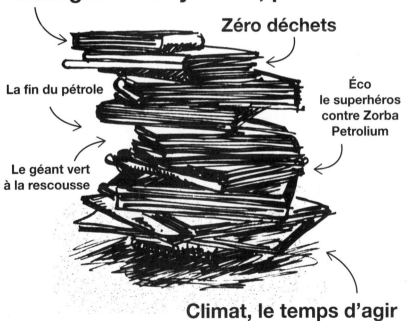

Zéro déchets

La fin du pétrole

**Éco
le superhéros
contre Zorba
Petrolium**

**Le géant vert
à la rescousse**

Climat, le temps d'agir

Il y a tellement à faire.

Emporté par son élan d'ordre et de propreté,
Jay remet le matelas droit, le canapé contre le mur
et le tapis dans le bon sens.

Le téléphone sonne à plusieurs reprises, mais
il n'ose pas décrocher.

Le temps file, Zéro s'est endormi. Il rêve et gémit
dans son sommeil.

Personne n'attend Jay chez lui ; autant se rendre utile.

À 19 heures, la fatigue le rattrape. Il sent vraiment
mauvais, alors il hésite un peu, puis se déshabille.
Il met vite son chandail, ses chaussettes, son short et
son slip dans la sécheuse. Il aurait dû faire ça plus tôt.
Il prend une douche rapide, mais il ne peut pas rester
nu chez Lynou.

Il enfile le peignoir suspendu au crochet.

Son ventre émet un long gargouillis. Il a faim.

Il jette un œil dans le frigo. Il n'y a là que des légumes, des fruits et du lait de soya.

Jay attrape une branche de céleri et s'installe sur le canapé. Il saisit le premier livre sur la pile maintenant stable. Il s'agit d'un essai bien épais, intitulé *Le Plan B : pour un pacte écologique mondial*. Mais il a du mal à se concentrer, angoissé à l'idée que Lynou débarque et le trouve ainsi chez elle.
Il se rhabille avec ses vêtements encore humides.
Il recommence à lire et s'endort à la dixième page.

Réveil brutal
Jeudi, 23 h 12

Une sonnette retentit dans la nuit. Jay sursaute,
le gros bouquin tombe sur Zéro.

Où est-il ? Que fait-il sur ce canapé ? Il se rappelle
son ménage en soirée. Merde, il s'est endormi chez
Lynou !

Zéro commence à gronder. Jay s'agenouille près du
labrador, passe un bras autour de son corps et,
de sa main libre, muselle le chien.
— Chut !

Le timbre résonne de nouveau. Le visiteur insiste,
pas gêné. Jay vérifie l'heure sur son téléphone.
Il est tard pour déranger Lynou.

Zéro tire et cherche à se libérer. Jay résiste et lui murmure à l'oreille :

— C'est pas Lynou. Elle serait entrée avec sa clé.

Et elle ne sonnerait pas pour que son chien vienne lui déverrouiller la porte.

Jay attend, puis se lève et s'avance sans bruit, courbé. Il tient Zéro par le collier et jette un œil furtif par un espace laissé libre à gauche du gros rideau. Mais de là où il se trouve, il ne peut pas distinguer celui qui sonne.

Il aperçoit une ombre qui s'éloigne dans la noirceur. Le visiteur nocturne s'est enfin lassé.

Que faire, maintenant ?

Il ne peut pas rester ici. Il doit retourner chez lui, manger, se changer, se reposer.

Où est Lynou ? Sans cellulaire, impossible de la joindre.

Jay n'allume pas. Le lampadaire de la rue Rivard fournit une clarté suffisante pour ne pas se casser la figure. Il libère Zéro et se demande quoi faire avec lui.
— Tu veux venir avec moi ?

Le chien bat de la queue et le regarde avec des yeux remplis d'amour.
— Mais si Lynou arrive plus tard et que t'es pas là, elle va s'inquiéter. Bon, je te laisse ici : tu pourras la rassurer.

Jay vérifie qu'il y a de l'eau en quantité dans la gamelle. Il viendra chercher Zéro le lendemain et le nourrira à ce moment-là, si sa maîtresse n'est pas rentrée. Jay appelle ensuite la ligne fixe de Lynou. Ça sonne quatre fois dans la maison, puis la boîte vocale prend le relais. Il ne peut pas laisser de message, car elle est pleine.

Il griffonne alors un mot au dos d'une enveloppe vide, qu'il place en évidence sur le comptoir de la cuisine. Avant de partir, il inspire profondément en priant pour que le visiteur ne l'attende pas au coin de la rue.

Il déverrouille enfin et sort en vitesse après une ultime caresse à Zéro.

Personne en vue. La pluie a cessé et le taux d'humidité dans l'air crée une sensation de chaleur étouffante.

Pas de lumière non plus chez le voisin, mais on n'a pas besoin d'allumer chez soi pour espionner dehors.

Jay rejoint sa camionnette et sacre en découvrant une contravention coincée sous un balai d'essuie-glace. Trop occupé à ranger l'appartement, il a complètement oublié qu'il était mal garé. Il n'a jamais eu de problème avant aujourd'hui, mais c'est la première fois qu'il reste là jusqu'à presque minuit.
— Combien ça va me coûter, ce truc ?

L'énervement le fait parler seul.

Il éclaire le papier blanc et rose avec la lampe de son téléphone. Il cherche, c'est écrit tout petit, puis repère le montant.
— Peine réclamée, quarante dollars, plus treize dollars de frais : cinquante-trois dollars ! Hé, ils sont malades !
Jay est découragé. Ça lui coûte un jour de travail. C'est injuste !

Il repart enfin. Quelle journée de fous !

L'habitacle sent toujours autant le chien mouillé.
Jay roule lentement en essayant de s'éclaircir les
idées. Ça aurait été sûrement plus simple d'appeler
la police.

Demain, si Lynou ne donne aucun signe de vie,
il faudra bien se décider à agir autrement. Zéro
ne peut pas rester seul tous les jours.

Un double bip retentit alors sur son téléphone.
Un texto vient de rentrer.

Jay attend d'arriver en face de chez lui, dans la rue
Marquette. Il éteint son moteur et lit enfin le message
à voix haute :
— As-tu vu Lynou ?

C'est Pedro qui lui écrit. Que répondre ?
Il pourrait faire semblant de dormir.

Pedro serait-il le visiteur qui a sonné plus tôt
chez Lynou ? Probablement.

Jay remue les doigts, cherchant l'inspiration.
Son cerveau fonctionne au ralenti, mal réveillé,
encore englué dans son sommeil.

Il tape vite trois lettres en majuscules et éteint aussitôt
son appareil.

Assez d'improvisation pour la soirée.

Où est Zéro ?
Vendredi, midi

Les chiens sont surexcités quand Jay éteint le moteur dans la courbe tout en haut de l'avenue du Mont-Royal. Ils ont reconnu les belles maisons de ce quartier tranquille. Ils savent qu'ils sont arrivés à leur destination préférée.

Jay met ses bouchons et ses gants, attrape le faisceau de laisses et commence à attacher une à une les onze bêtes qui tirent sur leur collier pour bondir à l'extérieur de la camionnette.
— *Keep it cool, Malie!*

Le border collie obéit. Il faut savoir parler la même langue que les maîtres des chiens à Montréal. La ville est bilingue. Au tour du suivant.
— Viens là, mon Skip.

Le setter s'exécute, lui aussi, même s'il est bousculé par un bouvier aux longs poils qui l'écrase contre le siège du conducteur.

— Canaille ! Attends donc !

Trois chiens sont maintenant dehors. Zéro saute de la Chrysler et les rejoint sans se presser, reniflant à droite et à gauche.

Quand Jay est venu le chercher plus tôt, Lynou n'était pas rentrée chez elle. Il va devoir le garder pour la fin de semaine, même s'il n'est pas censé travailler et que son père déteste les « animaux domestiques, leurs poils et leurs odeurs ». C'est pour ça qu'il n'a jamais eu le droit d'avoir un chien. Il aura le temps de passer l'aspirateur d'ici le retour de ses parents dans huit jours.

Le dernier à sortir est un grand caniche royal à l'allure altière, au pelage roux et bouclé, qui se présente sans se presser, comme gêné par ses trop longues pattes.
— *Dali, come on! Good dog!*

Le groupe se dirige enfin vers le chemin de ceinture qui grimpe sous les érables et les bouleaux. L'ombre du feuillage apaise. Jay est tiré par la meute excitée qui jappe dans une joyeuse cacophonie. Il doit pencher son corps en arrière. Il n'est pas gros, mais il a appris à maîtriser les animaux.

Le rituel commence, chacun marquant le territoire de son voisin.

Après une montée assez raide, le chemin oblique sur la gauche, puis vire à droite. Jay libère alors la dizaine de bêtes qui n'attendaient que ça. Elles s'éloignent en courant, se suivent, jouent, se défoulent enfin. Il adore cet instant où les chiens semblent si heureux. Ils reviennent vers lui, repartent.

C'est aussi le moment de sortir les sacs à crottes. C'est la partie la moins plaisante de la promenade, mais il ne faut rien laisser traîner. Il ne porte pas ses gants par coquetterie.

Jay les surveille. Il connaît leurs habitudes par cœur et la balade se poursuit ainsi jusqu'au sommet. Le terrain se dégage. Le poteau rouillé d'un antique remonte-pente se dresse au-dessus des vinaigriers. En bas, on distingue le toit d'un pavillon de l'Université de Montréal. Les chiens courent dans tous les sens. La vue est magnifique.

Jay reprend son souffle. Il se demande souvent s'il ne devrait pas devenir promeneur de chiens à plein temps.

C'est un beau métier. Il est en contact direct avec la nature. Il rend service. Il pourrait gagner très correctement sa vie. Patrick le fait bien, lui. Il suffirait de se créer une clientèle. Ce ne sont pas les propriétaires de chiens qui manquent. Il imagine la tête de ses parents s'il leur annonçait qu'il n'irait pas au cégep.

Le lancer répétitif des deux balles commence. C'est la joie chez les pitous.

Après une heure de jeu et de galopades intensives, les excités se calment, il est temps de repartir tranquillement.

— Skip ! Zéro ! Dali ! Canaille ! Malie !

Quatre chiens rappliquent bientôt. Il leur donne chacun un petit biscuit. Les autres accourent aussitôt et sont récompensés à leur tour. Le labrador ne pointe pas son museau. D'habitude, il est le premier à venir chercher sa gâterie tellement il est gourmand. Il a dû aller fouiner un peu trop loin, attiré par une odeur d'écureuil ou de marmotte.

— ZÉ-RO !

Zéro!
Zéro!
Zéro!
Zéro!
Zéro!
Zéro!
Zéro!
Zéro!
Zéro!

47

Jay scrute les environs, espérant repérer une tache noire dans l'herbe haute. Mais le chien de Lynou reste invisible.

Jay l'appelle encore. Il attache les autres pour ne pas avoir à leur courir après, puis il dévale la partie déboisée. Zéro est introuvable. Le promeneur a un mauvais pressentiment. Le labrador est perturbé par l'absence de sa maîtresse. Il a pu s'enfuir.

La recherche continue pendant de longues minutes. Zéro n'est pas en haut de la montagne. Jay retourne sur le chemin de ceinture, qu'il descend lentement, empruntant chaque sentier qu'il croise. Il crie à tue-tête. En vain.

Au loin, il croit reconnaître une silhouette qu'il a déjà vue. C'est bien Pedro, le gars qui court vers le bas de la pente ? Pas sûr.

Les autres chiens tirent la langue. Ils ont soif. Il faut revenir à la camionnette et leur donner à boire. Jay vide un gros bidon dans une bassine qui est aussitôt éclusée à grandes lampées. Il leur verse aussi l'eau de sa gourde.

Il est déjà plus de 15 heures. Il doit ramener ces chiens-là chez eux. Jay les rembarque à contrecœur, puis appelle encore le labrador en mettant ses mains en porte-voix. Inquiet, il doit tout de même filer.

Il reviendra quand il aura déposé les dix autres, ce qui va lui prendre plus d'une heure.

Jay conduit vite et mal. Il est énervé. Il se sent fautif. Il aurait dû le prévoir, garder Zéro attaché. Ne pas le quitter du regard.

Il raccompagne d'abord Skip chez lui, puis Canaille, Malie, Dali… Il prend soin de bien verrouiller les portes derrière lui. Il a eu assez de pépins pour aujourd'hui.

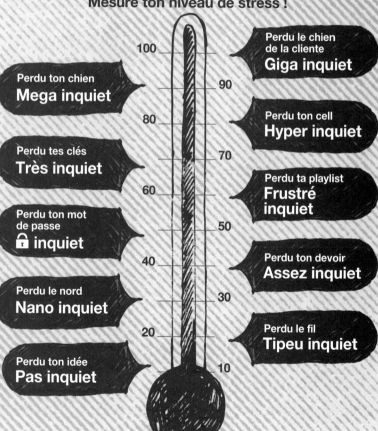

Retour à la case départ
Vendredi, 16 h 10

Jay est assoiffé et fatigué, mais ce n'est pas le moment de faire une sieste. Patrick sera furieux d'apprendre qu'il a perdu Zéro. Et Lynou ne le lui pardonnera jamais.

Il s'arrête devant le dépanneur de la rue Rivard, saute de la Chrysler et achète un litre de lait au chocolat, qu'il vide à moitié en une seule et longue gorgée. La caissière chinoise rit de le voir déglutir ainsi :
— Fait chaud !

Jay hoche la tête et recommence à boire. Il se sent mieux. Ses forces reviennent.

Et là, il semble halluciner : il vient d'apercevoir une queue noire qui traversait la rue. Une auto freine bruyamment, puis klaxonne.

Jay sort en trombe du commerce.
— Zéro !

Le labrador ne se retourne pas à l'appel de son nom. Il trottine jusqu'à la porte de chez lui, gratte celle-ci de sa patte droite pour signifier qu'il est de retour, puis s'assied devant et attend.

Jay est fou de joie. Il enlace le chien qui bat mollement de la queue.
— Mon Zéro ! Tu m'as fait tellement peur ! Comment t'as réussi à trouver ton chemin ? Il doit y avoir trois ou quatre kilomètres depuis le sommet jusqu'ici.

Jay ouvre, et le chien se précipite à l'intérieur. Aurait-il senti la présence de Lynou ? Jay entre prudemment.

— Y a quelqu'un ?

Aucune réponse.

Il avance dans l'appartement. Zéro s'est couché sur son gros coussin. Il semble ne plus vouloir bouger de là. Et pourtant, Jay ne peut pas le laisser seul tout le week-end.

Il lui donne à boire et à manger, puis prend le coussin avec lui. Au moins, il dormira en terrain familier. Lorsqu'il soulève le lit du labrador, un objet s'en échappe et tombe sur le plancher de bois franc.

Jay se penche pour le ramasser. C'est une grosse clé USB.

L'adolescent s'adresse à Zéro qui reste tranquille, exténué par sa fugue à travers le Plateau-Mont-Royal :

— C'est ça que les autres cherchaient ?

Comme si les chiens pouvaient parler…

Sur le boîtier noir, cinq boutons numérotés en double de 0 à 9 permettent d'entrer un code. Jay l'empoche. Il connaît ce genre de clé sécurisée. Son père en utilise pour son travail.

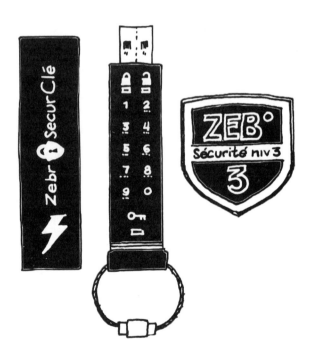

Jay met Zéro en laisse et rentre chez lui.

En sortant de chez Lynou, il jurerait avoir vu s'agiter le rideau du voisin d'en face.

Il installe le coussin du chien dans sa chambre, saute dans la douche, puis revient à son bureau et tente diverses combinaisons de quatre chiffres au hasard sur la clé USB. Il essaie d'abord les plus évidentes : 1234, 2345, 3456… Puis les mêmes à l'envers, mais en vain. Le petit voyant vert ne s'allume jamais.

Il tape le numéro de porte de Lynou et son téléphone, l'année en cours, quelques dates marquantes : 1984, 1970, 1939, 1914, 2001… Seule la croix rouge clignote.

Jay ne connaît pas assez Lynou pour deviner quel genre de code elle pourrait programmer. Il perd son temps.

Une chose est sûre : si elle utilise ce type de clé et qu'elle la cache dans le coussin de son chien, c'est que la clé contient des éléments de valeur.

Il paraît que la solution la plus manifeste se trouve toujours devant nos yeux. Cette année, en français, Jay a lu une histoire du même genre dans une nouvelle d'Edgar Allan Poe : *La lettre volée*. Le voleur l'avait placée bien en évidence, à la vue de tous, ce qui fait que personne n'y prêtait attention.

Jay observe autour de lui. Le labrador ronfle légèrement.
— Zéro !

Et s'il essayait les quatre chiffres associés aux lettres du nom du chien, sur un clavier ? Il sort son cellulaire et trouve la solution : 9376…

Il tape cette combinaison et le voyant vert s'allume !
— Bingo !

L'adolescent introduit vite la clé dans le port de son ordinateur. Une icône apparaît sur son écran. Elle s'appelle « fuelpine ». Il clique aussitôt dessus.

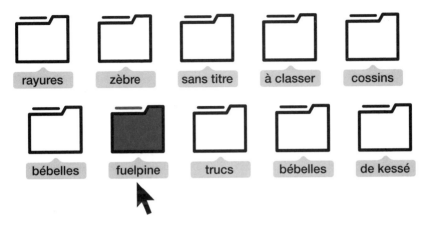

Au même instant, ça sonne à la porte. Jay n'attend pourtant personne. Il s'apprête à ne pas répondre, lorsqu'il remarque la lueur bleue clignotante dans la rue. Il ferme aussi sec son ordinateur, le glisse avec délicatesse sous la couette de son lit, avec la clé USB toujours enfoncée dans sa prise.

Puis il ouvre la porte. Deux policiers en uniforme, un homme et une femme, le dévisagent alors, l'air impénétrable.

Police !
Vendredi, 16 h 45

— Sergent-détective Mazenc du SPVM, dit l'homme. Et voici l'agente Lefebvre. Vous êtes Jay P. ?

— Oui, c'est moi.

Jay a un mauvais pressentiment. Il est arrivé quelque chose à son père ou à sa mère. Ils se sont noyés !

— Vos parents sont là ? demande l'agente.

Ouf ! ils n'ont rien.

— Non, ils sont en camping aux Îles-de-la-Madeleine. Je suis tout seul.

— On peut entrer une minute pour discuter ? demande l'homme.

Il ressemble à son oncle Éric avec son crâne rasé et son air grincheux. Jay acquiesce. Les deux uniformes

le suivent. Zéro les accueille en battant de la queue.
Tout un chien de garde.

— Il est à vous ? demande la femme en flattant
le labrador.

— Non, c'est à une amie qui… s'est absentée.

— Vous le promenez, c'est ça ?

Pourquoi poser la question s'ils le savent déjà ?
Jay demeure sur ses gardes. Ils restent tous les trois
debout près du comptoir de la cuisine.

— Oui, j'aime beaucoup les chiens. Il s'appelle Zéro.

La femme lui sourit. Il ne dit pas tout et ça se lit
sûrement sur son visage.

— Vous le gardez en ce moment ? demande
le sergent sur un ton cassant.

— C'est…

L'homme lui coupe la parole, la voix sévère :

— On nous a signalé la disparition d'une certaine
Lynou Comeau. C'est elle, la maîtresse du chien ?

— Oui, c'est elle.

— Pouvez-vous nous confirmer qu'elle a disparu ?

Jay doit s'asseoir sur une des chaises placées autour de la table.

— Je ne savais pas si je devais vous appeler, parce que c'est vrai que Lynou n'est pas rentrée chez elle depuis mercredi, sans me prévenir, en laissant Zéro seul. Mais je la connais à peine. Je ne promène son chien que de temps en temps.

— Vous avez dit plus tôt que c'était une amie, le coupe le sergent.

— Oui, mais non, pas vraiment. Je ne suis pas responsable de...

Le policier soupire bruyamment.

— Vous avez la clé de son appartement ? demande la femme.

— Bien sûr, pour aller chercher Zéro.

— Vous n'avez rien remarqué chez elle ? insiste le sergent de sa voix glaciale.

Jay rougit, comme si on le prenait la main dans le sac, en train de voler des jujubes au dépanneur.

— Il y a eu une sorte de cambriolage, je crois.

Jay baisse la tête. Ce qu'il vient de dire est stupide, il le sait bien.

— Vous croyez ? s'énerve l'agente.

— Non, j'en suis sûr.

Le sergent se dirige vers la porte, imité par sa collègue.

— Nous devons aller voir. Pouvez-vous nous accompagner pour nous ouvrir avec votre clé ?

La question du sergent est un ordre.

L'image de Patrick traverse son esprit. Après avoir laissé entrer Pedro, il s'apprête à faire de même avec des policiers. Mais Jay n'a pas d'autre choix que d'obéir.

— Je vous suis.

Jay rassure le chien, puis part avec les deux policiers. Il s'affale à l'arrière d'une auto-patrouille qui démarre avec la sirène hurlante. Les voisins ont le nez écrasé contre leurs vitres. Tout le quartier va penser qu'il a commis un délit.

Le trajet s'effectue en un temps record. C'est assez amusant d'être là, malgré les circonstances.

Arrivé à destination, Jay montre les photos de l'appartement quand il est revenu de la promenade de la veille. Il avoue qu'il a *un peu* rangé pour que Zéro ne se blesse pas. Les deux policiers sont médusés. Le sergent est le premier à réagir :

— Tu veux dire que tu as mis tes empreintes partout, c'est ça ?

Le tutoiement s'est imposé dans les circonstances.

L'adolescent baisse la tête. Il en a vu, pourtant, des films avec des enquêtes sur des scènes de crime. Il a oublié d'enfiler ses gants, comme les policiers viennent de faire.

— Tu as de la chance que madame Comeau ne soit pas là pour porter plainte, dit le sergent.

Jay devient suspect.

L'agente prend des photos et des notes. Le sergent-détective communique avec le poste de quartier. Il semble excédé.

Jay pense à la clé USB. Doit-il dévoiler son existence ?
S'il se tait, il risque d'aggraver son cas. Mais à qui
Lynou veut-elle cacher cette clé ? Il devrait d'abord
voir ce qu'elle contient. Il a hâte de rentrer chez lui.

Mais avant, il désire savoir quelque chose.

Il ose :
— Qui vous a averti que Lynou avait disparu ?

La femme se redresse de la poubelle qu'elle
inspectait. Elle lance un regard interrogateur au
sergent.
— Pourquoi nous poses-tu cette question ?
   demande le crâne rasé.
— Oh, comme ça…
— On ne peut pas dévoiler nos sources. À moins
   que tu aies autre chose à partager avec nous…
— Hein ? Non, rien !

Qui a appelé la police ? Pedro ? La famille de Lynou ?
Son employeur ? Ou le voisin ?

— On a reçu un appel anonyme, explique l'agente, tout sourire.

Jay se demande s'ils jouent à « bon cop, bad cop » avec lui.

Pedro aurait-il dissimulé son identité ?
— Lynou a-t-elle un chum ? dit alors le sergent.

Cette fois, Jay hésite. Doit-il parler de Pedro ?
Vu les circonstances, il vaudrait sûrement mieux.
Mais « dans le doute, abstiens-toi », répète son père.
— Je ne sais pas. Je ne vois qu'elle quand je viens ici.

Jay réfléchit du mieux qu'il peut. Il se souvient du papier qu'il a laissé à Lynou pour l'avertir de la visite de Pedro. Le lendemain, il avait disparu. Encore là, il aurait bien fait de s'abstenir. À l'heure qu'il est, les voleurs connaissent sûrement son nom et celui du Mexicain.

Mais c'est toujours plus facile de juger après coup.

Tout le monde peut réécrire l'histoire, alors que les décisions prises à chaud sont complexes à évaluer.

Faut-il alerter Pedro avant que lui aussi ait des problèmes ? Celui-ci est-il vraiment un ami de Lynou ? Son chum ?

— Je peux y aller, maintenant ? demande l'adolescent.
— Oui, on ne peut rien faire de plus pour aujourd'hui, répond le sergent.

L'agente tend une carte à Jay.

— Tu nous appelles s'il arrive quoi que ce soit ou si tu te souviens de quelque chose qui pourrait nous aider. Jour et nuit. OK ?

L'adolescent empoche le bout de carton. Les trois sortent du logement que Jay verrouille de nouveau.

Jay indique l'appartement du voisin voyeur :
— Le monsieur, là, est toujours à sa fenêtre.
   Il a peut-être vu quelque chose…

L'agente va sonner, mais personne ne répond.
Elle note l'adresse dans son carnet.
— On te raccompagne, lance le sergent.
— Merci, mais je préfère rentrer à pied. J'ai besoin de me dégourdir les jambes.

Il est soulagé de quitter les deux policiers.
Il devenait de plus en plus stressé.

La chaleur de juillet s'est installée. Jay marche tranquillement. Les terrasses sont bondées.

La semaine de travail est finie et tout le monde en profite.

Jay n'a pas l'esprit à la fête. Il s'inquiète pour Lynou.

En plus, s'il lui est vraiment arrivé quelque chose de grave, que deviendra Zéro ? Bêtement, il se dit qu'il ne peut pas garder le labrador chez lui. Il doit retrouver sa maîtresse avant le retour de ses propres parents.

Soudain, il fait demi-tour. Un truc le chicote.

*
* *

Jay retourne chez Lynou. Elle semble avoir disparu pendant la journée de mercredi. Donc, durant son travail. Il faut commencer par là : chercher l'adresse de la compagnie qui l'emploie.

Il se souvient d'un classeur qu'il a rangé avec les autres papiers éparpillés. Il contenait des fiches de paie.

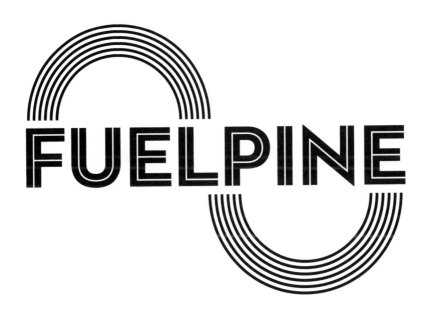

FUELPINE

Il sort le lourd cartable et lit l'intitulé. Les fiches sont au nom d'une dénommée Ella Pilon, et non à celui de Lynou Comeau. Qu'est-ce que ça veut dire ?

L'adolescent trouve alors une carte d'employée avec une photo. C'est bien Lynou qu'on reconnaît sur le portrait.

Mais le plus fort, c'est le nom de la société où elle travaille : FuelPine. Le même que sur la clé USB. Pourquoi Lynou utilise-t-elle une fausse identité ?

Poser la question, c'est y répondre : Lynou ne veut pas que FuelPine sache qui elle est vraiment.

Ça ne résout pas tout, mais c'est un début. Une enquête, c'est comme une pelote de ficelle ; quand on a trouvé un fil, on tire dessus et on le déroule tant qu'on peut.

L'adresse sur la carte est située au centre-ville. La décision de Jay est prise. Il ira là lundi pour en avoir le cœur net.

Avant de quitter l'appartement, Jay fait un détour par la salle de bain. Il fouille dans le panier de linge sale et en retire une camisole.

Dehors, il en est sûr, il aperçoit la silhouette du voisin derrière sa fenêtre. L'homme s'est donc caché de la police. Il est vraiment louche.

De retour chez lui, Jay passe devant sa maison sans s'arrêter ni ralentir, puis s'immobilise face à la vitrine d'un restaurant vingt mètres plus loin et observe les alentours. Personne ne semble l'avoir suivi jusqu'ici. Il devient paranoïaque avec cette histoire.

Il revient sur ses pas et rejoint Zéro qui exprime son bonheur en lui posant les pattes sur les épaules.

— C'est beau, mon Zéro. On va s'en sortir. On va la retrouver.

L'adolescent fonce dans sa chambre, tire l'ordinateur portable de sa cachette et s'assied sur le lit.

La clé USB ne contient qu'un seul dossier, nommé lui aussi « fuelpine ». Jay a déjà entendu ce nom, mais où ?

Il le tape dans son moteur de recherche.

Il s'agit d'une compagnie qui exploite des oléoducs et qui travaille à l'installation d'un nouveau pipeline qui relierait l'Alberta au Nouveau-Brunswick.

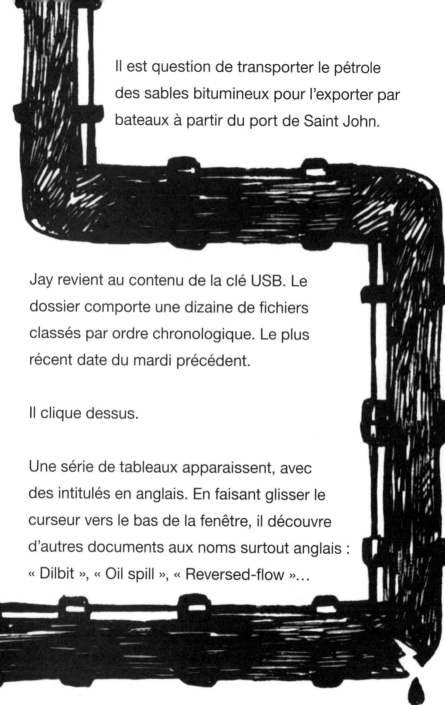

Il est question de transporter le pétrole des sables bitumineux pour l'exporter par bateaux à partir du port de Saint John.

Jay revient au contenu de la clé USB. Le dossier comporte une dizaine de fichiers classés par ordre chronologique. Le plus récent date du mardi précédent.

Il clique dessus.

Une série de tableaux apparaissent, avec des intitulés en anglais. En faisant glisser le curseur vers le bas de la fenêtre, il découvre d'autres documents aux noms surtout anglais : « Dilbit », « Oil spill », « Reversed-flow »…

Il essaie d'en déchiffrer un, mais c'est un rapport technique truffé de nombres et de données. Comment savoir qu'un document est plus précieux qu'un autre ?

Jay copie la clé sur son ordinateur. Il baptise le nouveau dossier « Canaille ». Le transfert s'effectue en quelques minutes. Il éjecte la clé, ferme son PC.

Et maintenant ? Il repose la clé sur la table basse du salon.

Jay sait bien qu'il n'a pas les épaules assez larges pour faire ce qu'il a décidé, mais c'est plus fort que lui. Il aime agir seul, comptant sur ses propres capacités. L'adolescent a toujours fonctionné ainsi, à l'école comme ailleurs. Il déteste les sports d'équipe. Il se sent bien dans sa bulle — son monde qu'il contrôle.

C'est réglé : il ira au bout de cette histoire sans demander d'aide à personne.

Visite guidée
Lundi, 14 h 07

Lynou n'a pas donné signe de vie pendant la fin de semaine. La détermination de Jay n'a fait que s'accentuer.

Il promène les chiens sur la montagne, en ayant Zéro à l'œil et en le gardant en laisse plus que d'habitude. Mais après ces deux journées ensemble, le labrador semble apaisé.

Jay ne veut rien précipiter. Il effectue la balade en prêtant toute son attention à Rex, Malie, Léo, Niger et aux autres. Il les dépose chez eux deux heures plus tard.

Maintenant, il peut passer aux choses sérieuses.

L'adolescent visse sa casquette sur son crâne et roule jusqu'au centre-ville de Montréal. Il n'a pas l'habitude de conduire dans ce quartier et il redouble de prudence. La circulation est dense. Les chauffeurs semblent tous pressés ou frustrés. Il déniche une place de stationnement sur le boulevard René-Lévesque, presque au coin de la rue Peel.

Là où il va, personne ne le verra sortir de sa camionnette en décomposition.

Il invite Zéro à le rejoindre à l'avant et lui noue autour du cou un foulard rouge avec le logo noir et blanc de la Fondation Mira.

Il l'a trouvé au fond d'un tiroir où il l'avait rangé cinq ans plus tôt. Il avait assisté à une présentation de chiens-guides et était revenu à la maison convaincu que ses parents accepteraient de prendre un chiot chez eux, le temps de l'élever.

— On fait une bonne action et on le rend aussitôt qu'il peut travailler, avait plaidé le garçon.

Son père était resté inflexible : aucun chien ne rentrerait chez eux. Soi-disant parce qu'il ne supportait pas les poils. Jay avait promis de passer l'aspirateur tous les deux jours, mais ça n'avait rien changé. Triste souvenir.

Le labrador est l'une des deux races de chiens utilisées par Mira, avec le bouvier bernois. Zéro est donc parfait dans son personnage canin. On ne peut

interdire nulle part l'accès à un chien qui porte
le célèbre foulard.

Avant de sortir, Jay met les lunettes fumées que
Patrick laisse toujours dans la camionnette. Il marche
sur le large trottoir jusqu'à un immeuble tout en verre.
Il y entre sans hésiter (merci, *Google Street View*).
Zéro avance paisiblement à ses côtés.

Jay appelle l'ascenseur et grimpe dedans.

La tour de bureaux est ultramoderne. Ça monte
en vitesse et en douceur.

Avant d'arriver au bon étage, il sort de sa poche
la camisole empruntée chez Lynou et la place devant
la truffe humide du faux chien-guide. Il lui murmure :
— Elle est où, Lynou ? Zéro, cherche Lynou ! Vas-y !

Le labrador renifle, dresse les oreilles.

Les portes de l'ascenseur s'ouvrent au quinzième étage, sur la réception de la compagnie FuelPine.

Jay pousse Zéro devant lui et marche maladroitement, comme s'il ne voyait pas très bien.

— Cherche Lynou !

Le chien sent, tourne la tête, flaire, en alerte.

— Bonjour, jeune homme, les chiens ne sont pas… oh, pardon.

L'hôtesse vient de repérer le foulard passe-partout.

Jay se redresse et s'avance jusqu'au comptoir.
Zéro se glisse derrière.

— Bonjour, j'ai un rendez-vous avec madame Pilon. Ella Pilon.

La réceptionniste fronce les sourcils.

— Elle ne travaille plus ici depuis jeudi dernier.

Jay feint la surprise.

— Vous êtes sûre ? Ça ne se peut pas ! Elle m'avait
donné rendez-vous pour m'aider à comprendre les
oléoducs au Canada. Pour une recherche.

La femme sourit de manière protocolaire,
puis secoue la tête de façon négative.

— L'école est terminée, non ?

Jay prend son air le plus pitoyable possible :

— Je suis obligé de suivre un cours d'été
en rattrapage…

— Madame Pilon a dû oublier de vous prévenir.
Mais je peux vous offrir une brochure de notre
compagnie, si ça vous intéresse.

— C'est sûr que ça m'intéresse ! J'en ai besoin pour
mon exposé oral. Je ne peux pas le manquer.

L'employée se lève pour aller prendre l'imprimé
à l'arrière du comptoir de réception. Jay en profite
pour se pencher et détacher Zéro.

— Cherche Lynou...

Le labrador se faufile dans le couloir. Jay se redresse,
tout sourire.

Et soudain, il entend le chien qui aboie. Un hurlement
retentit, suivi de cris. Ne faisant ni une ni deux, Jay se
précipite. La réceptionniste le voit passer, mais trop
tard pour l'intercepter. Elle l'appelle, en vain.

Il se retrouve dans un grand couloir bordé de portes
closes. L'adolescent se dirige vers le bruit. Il court
maintenant. Il tourne sur sa droite et aperçoit Zéro,
figé devant une porte en verre dépoli. Le chien jappe.
Deux femmes se tiennent en retrait, apeurées par
l'irruption de cette bête noire.

Un homme tente de s'approcher du labrador. Il lui
présente le dessus de sa main, pas trop rassuré.

Jay rejoint Zéro, saisit la poignée de la porte et ouvre celle-ci d'un coup sec.

— Elle est où, Lynou ?

Le chien bondit dans le bureau désert. Il renifle partout, surexcité. Sa maîtresse se trouvait là avant, c'est évident. Il inspecte chaque centimètre carré de la pièce. Il ne reste qu'une table vide et un fauteuil, des étagères nues, des murs beiges que rien ne décore.

La poubelle ne contient même pas un mouchoir froissé.

— Qu'est-ce qui se passe ici ?

Un garde de sécurité surgit. Il est gros, habillé tout en noir, avec des bottes d'armée. Il transpire, il a une sale gueule. Et il dégaine une grande matraque crantée en voyant Zéro qui tourne en rond.

Jay lui indique de se calmer.

— C'est rien, M'sieur. C'est mon chien Mira. Il s'est enfui quand je suis arrivé à la réception. Je sais pas ce qui lui a pris.

— Sortez d'ici !

Le garde pointe son gourdin en direction du chien, puis de Jay. À sa ceinture, une radio grésille. Un pistolet Taser complète sa panoplie.

— Oui, bien sûr. Tout de suite, répond Jay.

Il remet Zéro en laisse et détaille le plus possible le bureau désert. Lynou, alias Ella Pilon, devait donc travailler ici. Ils ont fait disparaître la moindre trace de sa présence. Mais pas son odeur.

À quoi bon insister ? Elle n'est pas là. Et sûrement pas ailleurs à l'étage, sinon Zéro l'aurait flairée.
— C'est correct. Tout est réglé. Vous pouvez retourner travailler, déclare le garde.

Les employés obéissent sans discuter, l'air servile.

Jay revient sur ses pas jusqu'à la réception.
Il prend la brochure abandonnée sur le comptoir.
— Merci, Madame !

Le gardien produit un son qui ressemble au grondement d'un ours.
— C'est pour mon exposé sur les oléoducs, M'sieur !

Le type appuie sur le bouton d'appel de l'ascenseur. Il foudroie des yeux l'adolescent et le suit dans la cabine, sa matraque tenue à deux mains. Il semble avoir du mal à conserver son calme.

— Je raccompagne ce jeune fouineur dehors, lance-t-il à la réceptionniste.
— C'est pas la peine, M'sieur, je connais le chemin.
— Je te conseille de la boucler, petit.

Le ton est sans équivoque. L'homme est deux fois plus baraqué que Jay, mais ce dernier refuse de se laisser impressionner.
— Vous la connaissiez, vous, Ella Pilon ? Une belle femme, cheveux noirs très courts, une trentaine d'années...

Jay croit discerner une lueur de doute dans le regard de la brute. Mais déjà, ils ont atteint le rez-de-chaussée. Le gardien le pousse dehors sans ménagement et reste sur le trottoir pour s'assurer que l'adolescent et son chien quittent bien les lieux.

Jay rejoint la Chrysler et ouvre la porte au labrador. Il lui ôte son foulard et lui donne un biscuit.
— Bon chien.

Il s'installe au volant, le cœur battant après toutes ces émotions.

— Si ta maîtresse n'est plus là, où est-elle ? lance-t-il à voix haute.

Bien sûr, c'était naïf d'imaginer que Lynou serait encore dans son bureau chez FuelPine. Il pensait quoi ? La trouver menottée à la canalisation de chauffage ? Mais il devait vérifier, en avoir le cœur net.

Un fourgon noir le croise alors à toute vitesse.
Sur la portière, Jay reconnaît le logo en forme d'aigle : celui-là même que le gardien portait sur son uniforme.
Et il a le temps d'apercevoir, au volant, une figure tendue et aux mâchoires serrées : c'est le costaud qui l'a mis à la porte de FuelPine.

Sans plus réfléchir, Jay décide de le suivre.

Il faut toujours tirer sur le bout de ficelle qui se présente à vous.

Protekthor
Lundi, 15 h 13

Le fourgon file. Jay a du mal à ne pas se laisser distancer. C'est à son tour de serrer les dents pour garder sa concentration et n'emboutir personne.

Ils se dirigent vers l'est, dans la rue Sherbrooke. L'adolescent a les yeux rivés sur la porte arrière du véhicule qui le précède, avec l'aigle sous lequel est inscrit le nom de la compagnie de surveillance : Protekthor.

Ils roulent ainsi trente minutes. À plusieurs reprises, Jay percute presque le fourgon qui freine brusquement, puis accélère rageusement. Ils doivent aussi zigzaguer, car la chaussée est truffée de nids-de-poule. Mais une fois dépassée la Place Versailles et après avoir enjambé l'autoroute, la circulation s'apaise un peu. Pour ne pas être repéré, Jay fait comme dans les films : il laisse deux voitures entre la fourgonnette et lui.

Ils dépassent le terminus de la ligne verte de métro, Honoré-Beaugrand. Le fourgon noir ralentit brutalement et met son clignotant à droite pour se garer.

Jay freine aussi sec, se fait klaxonner par-derrière, puis dépasse le garde qui sort de son véhicule en cherchant l'origine du son. Jay entre la tête dans les épaules. Il avance un peu, puis stationne à son tour.

Il a l'impression de finir une course de formule 1.
— Reste ici, Zéro. Ça ne devrait pas être long.

Il descend de la camionnette et marche avec prudence sur le trottoir.

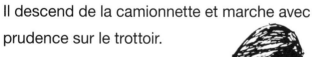

Pourvu que l'autre soit encore là.

Le fourgon Protekthor n'a pas bougé. Jay jette un œil dans l'épicerie en face. Il ne voit rien.

Il décide d'entrer dans le commerce. Il n'y a que deux allées qui forment un U. Le gardien n'est pas dans la première. L'adolescent ôte ses lunettes fumées et sa casquette, trop facilement reconnaissables. Il marche jusqu'à l'extrémité et manque de heurter le conducteur fou qui choisit des pommes et des bananes.

Un végétarien ? Il a plutôt la mine d'un prédateur.

Lynou, par contre, ne mange que des fruits et des légumes.

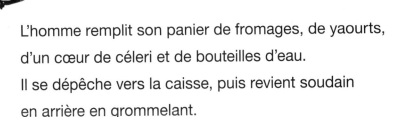

L'homme remplit son panier de fromages, de yaourts, d'un cœur de céleri et de bouteilles d'eau.

Il se dépêche vers la caisse, puis revient soudain en arrière en grommelant.

Jay se retrouve coincé entre le gardien de sécurité et une cliente qui s'avance avec une énorme poussette pour jumeaux. Il va se faire repérer.

Il se réfugie dans la remise de la boutique, s'accroupit, les poings fermés, prêt à se défendre. Ça sent les patates, le désinfectant et le vieux chou.

Les secondes s'écoulent, interminables.

Rien ne se produit.

Jay se redresse et risque un œil dans l'allée. La mère de famille lui masque la vue, mais le gardien semble parti. Il doit le suivre.

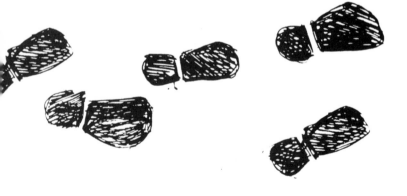

Il rejoint à son tour la caisse à toute vitesse, se glisse
à gauche de la mégapoussette et sort devant l'épicier
qui l'observe avec méfiance.
— J'ai rien volé, je vous le jure ! crie-t-il.

Comme il le craignait, le fourgon a disparu.
Et vu la conduite du chauffeur, il est sûrement
déjà loin.

Jay retrouve sa camionnette. Il ne va pas rouler
au hasard. Ce serait stupide.
— Tu vois, mon Zéro, des fois, le fil se brise et pfuit !

Il n'a plus qu'à rebrousser chemin en attendant d'avoir
une meilleure idée.

Et trouver une nouvelle pelote de ficelle plus fiable.

Pas si raffiné que ça
Mardi, 14 h 03

La balade des chiens s'achève. Jay a beau se creuser la tête, il ne sait pas où chercher Lynou. En se garant devant chez lui, il se penche pour récupérer la laisse de Zéro sur le plancher. La brochure FuelPine qu'on lui a donnée la veille traîne là.

Il la ramasse machinalement, la feuillette.

L'ombre menaçante du gardien semble planer sur ses maigres épaules.

Il y est question des diverses activités de la compagnie en termes plus élogieux les uns que les autres. Jay sursaute quand il reconnaît une photo.

FuelPine possède une raffinerie dans l'est de l'île. Depuis le boulevard métropolitain, il a déjà vu les tuyaux illuminés, les réservoirs géants et les flammes qui sortent des cheminées. Ça crée un décor fascinant, surtout de nuit.

Séquestrer une employée doit être plus simple au cœur d'un gigantesque site industriel que dans un bureau au centre-ville.
Il vérifie l'adresse sur *Google Maps* : la raffinerie se trouve à moins de deux kilomètres de l'épicerie où le garde a fait ses courses.

Il démarre aussitôt et se dirige vers la rue Sherbrooke. Il roule vite.

Quand les numéros dépassent les 11 000, les habitations disparaissent pour laisser place à une carrière, puis à des structures métalliques qui se découpent dans le ciel. D'énormes réservoirs s'alignent, lourds et menaçants, remplis de milliers de litres de produits pétroliers. Des escaliers en fer les enroulent pour en atteindre le sommet.

Les camions ont pris possession de cette portion du territoire.

Jay vient de basculer dans un monde où l'humain devient tout petit, ceinturé par des kilomètres d'imposantes canalisations qui encadrent la route.

Il repère enfin à gauche un grand bâtiment rouge et blanc, avec l'enseigne FuelPine plantée sur la pelouse en avant. Il tourne dans la rue suivante et dépasse un long portail métallique.

La rue est déserte. On n'a pas le droit de se garer le long des trottoirs. Ça va être difficile de passer inaperçu.

Jay roule jusqu'au bout du cul-de-sac et y découvre un stationnement pour les visiteurs. Il glisse la Chrysler entre deux *pick-ups* flambant neufs et descend avec Zéro. Cette fois-ci, pas de foulard Mira.
— Viens, mon Zéro. On va trouver ta Lynou.

Aucun piéton ne marche sur le trottoir. Pas une bicyclette en vue non plus. On est au royaume du pétrole. De grosses cuves en métal brun forment l'unique relief dans ce décor plat. Un bassin circulaire laisse échapper une vapeur molle.

Jay longe les solides grillages surplombés de fils de fer barbelés. Il revient au portail et passe sans ralentir. Un fourgon Protekthor est garé devant le poste de surveillance du dépôt de carburants, près d'une enfilade de citernes verticales.

Personne à l'horizon.

Zéro semble excité. Il s'étrangle avec son collier.

Jay pénètre dans le stationnement réservé aux employés, se faufile entre les voitures. Il se penche pour resserrer son lacet et sort la camisole de Lynou de sa poche de pantalon. Il la donne à renifler à Zéro.

— Cherche Lynou !

Le labrador comprend, s'agite. Il lève le museau, en quête d'une piste. L'atmosphère est chargée d'une odeur d'huile brûlée.

Jay reconnaît alors le garde de la veille qui discute avec un collègue dans le même uniforme. Ils marchent vers un petit bâtiment. Chacun porte un sac d'épicerie.

Aussitôt qu'ils sont entrés, Jay se précipite à l'arrière.

Zéro se met soudain à japper. Il s'étrangle avec son collier, car Jay le retient de toutes ses forces.

Mais on ne peut rien voir. Les rares fenêtres grillagées sont à trois mètres du sol.

Jay recule. Il découvre, pendant du plafond, accroché à un tuyau, un foulard noir. Le même bandana que Lynou porte en permanence. Ça ne peut pas être une coïncidence. Elle a dû le lancer là pour signaler sa présence.

— C'est Lynou ! Elle est ici, Zéro !

En entendant cela, le labrador tire sur sa laisse et réussit à s'échapper. Zéro se jette sur les murs. Il gémit, cherche un passage, une façon d'escalader la paroi. En vain.

— Viens, mon chien, on va y arriver...

Il n'y a qu'une solution possible : pénétrer dans l'enceinte par le portail. Ils rebroussent donc chemin.

La lumière s'éteint dans le bâtiment, et deux hommes en ressortent, les mains vides.

Le plus grand retourne dans son fourgon.

— À demain, même heure ! Et sois gentil avec Miss tofu.

Qui fait quoi ?
Mardi, 15 h 30

Jay s'avance jusqu'au portail, sans se cacher.

Le garde sort aussitôt de la cabine. Il a lui aussi une matraque à la ceinture, ainsi qu'un étui d'où dépasse une crosse jaune et noire sur laquelle est inscrit Taser. On ne plaisante pas avec la sécurité chez FuelPine.

— Qu'est-ce qu'il veut, le jeune ? aboie le gardien.

— J'ai entendu dire que vous embauchiez…

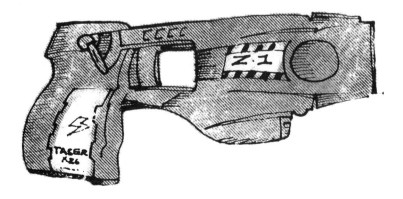

Jay sourit le plus naïvement possible au type qui ne lui répond pas.

— Je cherche de la job, n'importe quoi.

Le garde hausse les épaules. Leurs regards se croisent fugitivement. Jay y décèle une expression qu'il reconnaît aussitôt.

— C'est pas ici qu'il faut te présenter. Tu dois aller sur le site Internet. Puis si tu veux devenir gardien de sécurité… t'es pas bâti pour !

Il éclate de rire et tourne les talons sans saluer le visiteur.

Jay repart, tirant sur la laisse du labrador qui voudrait rester.

Il rejoint sa camionnette, où il donne un biscuit à Zéro et glisse la clé dans le contact lorsqu'il découvre une Golf noire garée dans l'allée en face de lui.

La longue cicatrice dans le pare-brise élimine tout doute : c'est la vieille bagnole de Pedro. Que fait-il dans les parages ? Il travaille à la raffinerie ?

Jay photographie l'auto et démarre en direction de la rue Sherbrooke.

Cent mètres plus loin, un camion à la citerne chromée s'approche en sens inverse, puis met son clignotant pour pénétrer chez FuelPine. Il tourne vite et s'immobilise devant l'entrée. Il vient faire le plein.

Jay s'arrête au bord de la chaussée et observe la manœuvre.

Le conducteur baisse sa vitre et parle dans un interphone accroché à sa hauteur sur un poteau en aluminium.

Dix secondes plus tard, la lourde porte s'ébranle et glisse. Jay filme la scène avec son téléphone. Ça prend quarante secondes pour libérer le passage et permettre au camion d'avancer. Celui-ci se dirige alors à gauche et disparaît derrière un long mur de ciment. Le portail grillagé se referme automatiquement, mais la voie est restée libre presque trente secondes. Assez longtemps pour que Jay puisse en profiter.

Il pourrait venir de nuit et s'accrocher à un camion au moment où ce dernier ralentit.
C'est jouable, mais il se retrouverait seul dans l'enceinte. Si Lynou est vraiment enfermée dans le bâtiment au fond, comment pourra-t-il la libérer ?
Et si le gardien le surprend ? Même s'il y parvenait, comment ressortir à deux sans alerter la sécurité ?

Il faut un meilleur plan.

Il doit appeler la police. Il sort la carte de l'agente de sa poche.

Que va-t-il leur raconter cette fois-ci ?

Qu'il leur a menti ?

Qu'il joue tout seul au détective ?

Il imagine déjà la réaction excédée du sergent-détective. Il n'a pas envie de revoir sa face antipathique. Et puis, les policiers n'auront jamais le droit de perquisitionner dans une raffinerie sans mandat. Aucun juge ne croira les élucubrations d'un adolescent épais comme une tranche de pain blanc.

Il repense à la pelote de ficelle. Il a perdu le fil, puis l'a retrouvé. Il ne doit pas le lâcher, sinon il risque de s'écarter de sa piste.

Au retour, il met la radio en sourdine pour écouter les nouvelles du jour. Il s'attend à ce qu'on évoque la disparition de Lynou.

— Ils ne parlent pas de ta maîtresse, mon Zéro, mais on va la libérer !

Le labrador bat de la queue et tente de lécher le visage du conducteur.

Mais ce Pedro… À quel jeu joue-t-il ? Dans quel camp est-il ?

Lâchez les chiens !
Mercredi, 11 h 30

Les chiens occupent toute la place à l'arrière de la camionnette. Onze amis qui s'impatientent pour sortir et courir après leur balle, ça remue.

Et aujourd'hui, ils devront attendre plus longtemps que d'habitude.

Jay rejoint la rue Sherbrooke, vers l'est. Il retourne à la raffinerie.

Les chiens regardent dehors. Ils ne reconnaissent pas leur trajet normal. Ils s'agitent, grognent et grondent encore plus.
— Du calme, les pitous ! *Cool it, guys!*

Un message bilingue pour les rassurer. Ça produit son effet durant une vingtaine de secondes, puis les jappements et les halètements reprennent. Jay les laisse faire.

Plus ils seront excités, mieux ce sera.

Quand ils arrivent en vue de FuelPine, Jay a la chienne. Sans rire.

Il gare la Chrysler dans le stationnement des employés, en reculant, comme le demande un panneau. Il saisit une balle dans chaque main.
Les chiens les ont vues. C'est leur signal. Ils aboient. Le regard de l'adolescent se durcit. Il ferme toutes les fenêtres. La chaleur augmente aussitôt. Jay fixe son rétroviseur.

L'attente n'est pas longue, car un camion-citerne apparaît et ralentit pour se présenter devant la porte pour le remplissage.

— Ça passe ou ça casse, murmure Jay.

Il démarre aussi sec, se place derrière le dix-roues.
Le chauffeur parle dans l'interphone. La barrière
métallique s'ébranle. Jay sort de la camionnette.
Il a mis ses gants, mais pas ses bouchons d'oreilles,
pour être certain de ne rien rater.

Il sait qu'il est en train de jouer avec le feu. Ce n'est
pas pour lui qu'il a peur, mais pour les onze animaux
qui n'ont rien demandé et qu'il va utiliser malgré eux.
Si Patrick le voyait, il le tuerait.

Sa détermination ne faiblit pas. De toute manière,
il est trop tard pour changer d'avis.

Jay pose la main sur la portière coulissante.
Les chiens se battent pour sortir en premier.

Le camion avance enfin. Il tourne à gauche
en arrière du mur. La voie est libre pour une poignée
de secondes.

Le gardien de sécurité a vu Jay. Il a quitté son poste de surveillance et s'approche en gesticulant. Jay ouvre la portière et lâche les chiens. Il lance les balles rouge et bleue en direction du gars en uniforme.

Onze pitous déchaînés jaillissent et se précipitent vers le garde, qui fait volte-face, puis trébuche et s'étale de tout son long sur le bitume taché de pétrole.

L'homme se protège la tête avec ses deux mains. Jay le rejoint et sort un Tie-Wrap de sa poche. Il saisit les poignets du gardien et les lie. Le gars se laisse faire, complètement tétanisé. Les chiens courent dans tous les sens, déstabilisés de se retrouver dans un lieu inconnu. Ils vérifient que Jay reste proche, puis sautent partout, aboient de plus belle.

C'est étourdissant.

L'adolescent ne s'était pas trompé quand il avait vu le regard que le gardien posait sur Zéro la veille. Le cerbère a la phobie des chiens. Son allure imposante et son uniforme noir ne le protègent pas. Sa peur est irraisonnée et plus forte que sa volonté.

— Où est la clé du bâtiment en face ?

Le gars ne répond pas.

Comme d'habitude, le doberman a été le plus rapide et le plus intimidant ; il revient avec sa balle rouge. Jay la saisit entre ses énormes mâchoires et la place dix centimètres en avant du gardien. Rex ne la touchera jamais si Jay ne lui en donne pas la permission ou l'ordre.

— Rex, viens parler au monsieur.

La gueule baveuse du gros animal sombre se rapproche du visage du garde.

— Non ! Arrête ! Retire ce chien ! Pitié !

Jay appuie son genou dans le dos du gars qui panique. Il tremble comme une feuille.

— La clé !

— À ma ceinture. Celle avec l'anneau rouge.

Jay la récupère aussitôt. Il connaît ça, les trousseaux.

— Rex, tu restes avec monsieur !

— Non !

— Si tu ne bouges pas, il ne te fera aucun mal.

Derrière eux, le portail se referme déjà. Jay court jusqu'à la bâtisse. Zéro ne le lâche pas d'une semelle. Il déverrouille, tire la lourde porte métallique.
À l'intérieur, on n'y voit pas grand-chose. On dirait un atelier de soudure.

Il cherche un interrupteur, qu'il trouve sur la paroi à gauche. Il allume.

— Lynou ? T'es là ?

Il ne voit rien ni personne.

Zéro part tout droit vers le fond du bâtiment.

Jay le suit. Deux autres chiens sont entrés aussi :
Léo le husky et Skip le setter.

Derrière un établi encombré de pièces métalliques
et d'outils, l'adolescent découvre un lit de camp.
Lynou est allongée là, endormie. Un de ses pieds
est attaché par une chaîne cadenassée. Elle est
bâillonnée et menottée. Zéro lui lèche le visage.
Elle se réveille et ouvre de grands yeux étonnés.

Jay sort vite son téléphone et prend des photos de la scène. Il faut documenter, sinon personne ne les croira.

Enfin, il se penche, décolle l'adhésif noir de sa bouche. Ça arrache un peu la peau. Lynou grimace, pleure, mais se laisse faire.
— Je vais te détacher.

L'adolescent cherche sur l'établi, trouve un marteau et un gros poinçon. Il frappe sur la chaîne, puis sur le cadenas. Ça résiste. Il insiste, transpire. Il ne faut surtout pas blesser Lynou. Le cadenas cède enfin.

Lynou se redresse lentement. Elle vacille, se rattrape, trop faible. Jay lui désigne un étau fixé sur l'établi. Elle approche les mains des deux bords des mâchoires d'acier. Jay tourne le levier de serrage. Les mors écrasent peu à peu la chaîne des menottes.
La longueur du bras de levier permet d'exercer une force suffisante pour briser les anneaux d'acier.
Un dernier effort et voici Lynou libre.

— Il faut filer.

Jay la soutient. Ils sortent de l'atelier. La lumière
les éblouit.

Le gardien est toujours à la même place. Rex n'a pas
bougé d'un centimètre. Dressé pour obéir.
— Skip, Léo, Canaille, Théo, *come here* !

Les chiens rappliquent et les entourent, leur font la
fête. Ils bousculent Lynou qui manque de s'étaler sur
le bitume.

— Du calme !

Il faut filer, mais le bouton de déclenchement
du portail se trouve dans la cabine du gardien.
— Attends-moi ici, Lynou. Je vais aller ouvrir.

Il s'élance vers la cabine, lorsque l'autre gardien,
le colosse de la veille, surgit de derrière le mur.
— Ne bougez plus !

Il brandit son Taser à deux mains et braque Jay.

Il débarque d'où, celui-là ? Il est en avance sur son horaire par rapport à la veille.

En tout cas, le costaud n'a pas peur des chiens.

— Dis à ta meute de se calmer, sinon je vais m'en occuper à ma façon.

Le ton menaçant ne supporte aucune réplique.

Jay lève les deux bras en signe de reddition.

— Et merde ! murmure l'adolescent.

Il réfléchit à cent à l'heure. Son seul atout, ce sont ses chiens. Il ne peut pas abandonner maintenant, pas après avoir libéré Lynou. Les deux sondes du pistolet électrique peuvent lâcher une impulsion de plusieurs dizaines de milliers de volts, qui paralyse. Et s'il lançait un chien contre le gardien qui les menace ? Celui-ci tirerait et Jay pourrait en profiter pour foncer dans la cabine, s'y enfermer et déverrouiller le portail.

Ça signifie envoyer un chien à la mort, car la décharge le foudroierait.

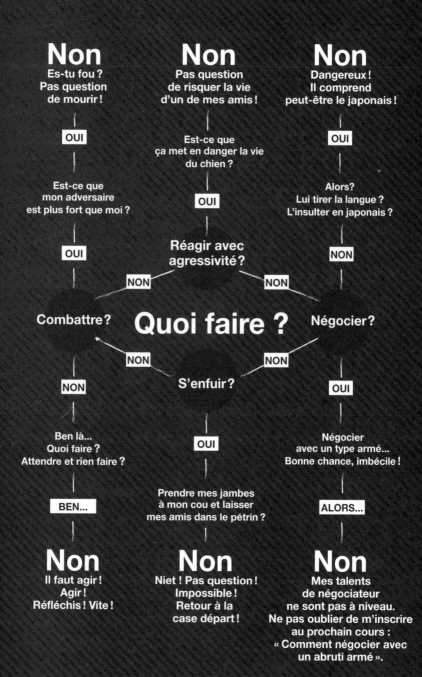

C'est impossible de choisir et horrible d'y penser.

— Viens par ici, petit !

Le gardien se rapproche. Jay doit prendre une décision. Il préférerait se sacrifier à la place d'un des animaux. Le Taser n'est — normalement — pas mortel pour les humains.

— Hé, je te parle !

Jay sort de ses réflexions. C'est foutu.

Rex n'a pas bougé. Zéro est collé contre Lynou qui tient à peine debout.

Jay voit alors quelqu'un qu'il connaît bien s'approcher derrière le type qui pointe son arme sur lui. C'est Pedro. Le fourbe. L'adolescent avait raison de s'en méfier. C'est ce salaud qui a organisé l'enlèvement de Lynou.

Pedro s'avance en silence, courbé, un petit cylindre rouge dans les mains. Il rejoint le gardien qui sent soudain sa présence, s'apprête à se retourner, mais trop tard. Pedro le frappe derrière le crâne avec l'extincteur. Le garde s'écroule. Le Mexicain enjambe le corps et se précipite vers Lynou qui vacille. Il la bascule sur son épaule et se dirige vers la sortie.

— La porte, Jay ! *¡Rápido!*

L'adolescent n'y comprend rien. Il bondit dans la cabine de surveillance, repère tout de suite un gros bouton rouge, écrase son poing dessus. Rien ne se passe.

Mais après quelques secondes, le portail grillagé bouge enfin.

Jay court dehors, il appelle tous les chiens, sauf Rex.

Il ouvre la camionnette, où vont aussitôt s'entasser Pedro, Lynou et dix chiens surexcités. Il s'installe au volant, effectue une manœuvre pour repartir. Le portail commence à se refermer.

Jay ouvre alors la porte côté passager.

— Rex ! Viens ici tout de suite !

Le doberman pointe les oreilles et obéit aussi sec. Il saisit la balle rouge dans sa gueule, bondit sur ses grandes pattes et s'élance vers la Chrysler sans prêter attention au garde assommé.

— Allez, hop ! Rexou ! Vite !

L'ouverture se réduit. Il reste à peine un mètre quand le gros chien franchit le portique. Ça lui rabote un peu les fesses, mais il passe de justesse. Il saute sur le siège avant. Jay se penche pour refermer derrière lui. Le doberman prend trop de place. Jay a du mal à atteindre la poignée.

Il y parvient enfin.

L'adolescent manque d'espace pour conduire, mais il réussit à démarrer quand même.

Ils quittent les lieux sur les chapeaux de roues.

Jay jette un œil en arrière. Pedro serre Lynou. Il lève son pouce en l'air pour faire signe que tout va bien. Zéro lui lèche la face.

— J'ai hâte que vous m'expliquiez ce qui se passe, dit Jay.

Mais Lynou est en état de choc dans les bras de Pedro. Il la berce pour la rassurer, en chantonnant une berceuse en espagnol.

— Rex, attache ta ceinture ! plaisante malgré tout Jay en voyant le gros doberman basculer à chaque freinage.

Puis il roule sans rien ajouter, concentré, épuisé et tendu.

Refuge pour humains
Mercredi, 15 h 09

Le premier arrêt s'effectue sur le boulevard Rosemont. Jay descend avec Dali. Il accompagne le caniche royal chez lui : un duplex détaché, tranquille, sans vis-à-vis. Il n'y a personne à la maison, car ses maîtres sont partis aujourd'hui pour trois jours. Ils ont demandé au promeneur de passer ses nuits avec leur pitou, moyennant salaire. Être payé en dormant ; Jay ne pouvait pas refuser ça.

Il conduit Dali à sa gamelle, lui verse de l'eau, puis ouvre le frigo. Il y a là assez de nourriture pour tenir un siège. Il retourne à la camionnette, où il fait signe à Pedro et Lynou de descendre. Zéro les suit.

— Vous allez vous installer ici pour l'instant. Vous êtes en sécurité. Ne sortez pas, reposez-vous.
Je reviens dans deux heures.

Lynou s'écroule sur le canapé. Il faudra encore patienter pour le récit de ses aventures. Zéro reste avec eux.

Jay finit sa tournée pour ramener les neuf autres chiens. Aucun n'a été blessé, c'est un vrai miracle. Le doberman semble très heureux de trôner à l'avant de la Chrysler.
— Profites-en, mon Rex, parce que c'est exceptionnel.

Le gros chien bat de la queue en entendant son nom.

Il est le dernier à se faire raccompagner à son domicile, à deux coins de rue de chez Jay. L'adolescent prend la balle rouge, la met dans sa poche et accroche une laisse au cou du gros toutou. Il traverse le trottoir et lui ouvre. Rex ne se presse pas.

Ensuite, Jay doit passer chez lui pour mettre
des vêtements propres.

Quand il arrive devant sa porte, il la trouve entrouverte.

La serrure a visiblement été forcée. Il se fige.
Les cambrioleurs sont-ils encore là ? Jay est seul,
sans chien pour le protéger.

Qui a fait le coup ? Des hommes de Protekthor ?

Il sonne longuement. C'est idiot, mais au moins il ne les surprendra pas et ils ne feront pas de geste précipité contre lui.

Encore une fois, il devrait appeler la police, mais il décide d'agir seul.

Il entre. Le logement ne semble pas avoir été saccagé comme celui de Lynou. On dirait même qu'il ne manque rien. C'est bizarre.

Jay entend un bruit qui vient de sa chambre. Il recule doucement vers la sortie.

Un miaulement le cloue sur place alors que le gros matou des voisins déboule soudain vers la sortie.
— Qu'est-ce que tu fous là, toi ?

Jay a les nerfs à vif. Il a eu la frousse de sa vie.

Il fait ensuite le tour des pièces, cherche ce qui pourrait avoir été volé.

A-t-on juste voulu l'effrayer ? Lui donner
un avertissement ?

Il s'avance au centre de la cuisine et observe la pièce
dans le détail. Il essaie de se souvenir de comment
c'était ce matin, ou hier. Tout semble identique.
Il répète la scène dans le salon, dans la chambre de
ses parents, dans la sienne, dans la salle de bain.
Rien n'accroche son regard.

Il revient dans le salon et examine les fauteuils en
cuirette, l'immense écran de télévision…
Et il comprend ce qui a disparu.

La clé USB n'est plus sur la table basse.

Les visiteurs l'ont vite trouvée et sont repartis
sans avoir à dévaster le logement.

Heureusement que Jay a fait une copie sur
son ordinateur portable. Et qu'il a eu l'intuition de
cacher celui-ci sous le siège avant de la camionnette.

Personne n'irait fouiller dans une vieille Chrysler qui pue le chien mouillé.

Jay téléphone à l'agente Lefebvre. Il raconte que sa serrure a été forcée. Il ne mentionne pas la clé disparue.

— Ne touche à rien ! On arrive dans vingt minutes, dit la policière.

Jay va devoir leur expliquer que Lynou est de retour.

Le *dilbit*
ne flotte pas
Mercredi, 18 h 08

Le PC est allumé devant Lynou. Elle a ouvert le dossier
« Canaille » et pianote frénétiquement sur les touches
du clavier.
— Voilà, c'est ça.

Elle clique sur un fichier intitulé « X4D5s ».
— Je l'ai trouvé dans leur serveur fantôme.

Jay lève un sourcil interrogateur.
— Parallèlement à son système informatique officiel,
    FuelPine a installé un second serveur qui n'est
    accessible qu'à une poignée de cadres. C'est là
    qu'ils font leurs magouilles.

Ça m'a pris des semaines pour le dénicher
et encore plus pour y pénétrer.

Lynou a les traits tirés. Elle a maigri, mais elle semble
bien aller.
— Mais pourquoi tu fouillais là ? demande Jay.

C'est Pedro qui répond :
— Lynou et moi faisons partie *d'oune* groupe
environnementaliste *ploutôt...* engagé. On veut que
les choses changent *rápido* et on a décidé d'agir.
Les pétitions, ça va *oune* temps, mais ceux d'en
face sont des chacals. Ils sont prêts à tout. L'argent
est *plous* fort que nos *convicciónes*. Et *dou cash*,
les pétrolières en ont *mucho*.

Lynou enchaîne :
— Je me suis fait embaucher comme assistante
au marketing, sous une fausse identité. Notre
organisation m'a fourni un numéro d'assurance
sociale et une carte d'assurance maladie. J'ai pris
mon temps, gagné leur confiance. J'ai ouvert grand
mes yeux et mes oreilles.

Jay aussi ouvre grand les siennes. La Lynou qu'il connaît menait donc une double vie.

— Quand je suis arrivée dans leur système, j'ai pu collecter les infos qui nous intéressaient. J'avais assez de matériel avec ça, mais je voulais trouver un dernier rapport qui complétait celui-ci. C'est pour ça que j'y suis retournée mercredi. Mais eux, ils avaient repéré mon passage, sans savoir qui j'étais. Ils m'attendaient. Dès que je me suis introduite dans leur serveur parallèle, ils m'ont identifiée. Quinze minutes plus tard, un gardien a débarqué dans mon bureau.

— Qu'est-ce qu'il t'a dit ? demande Jay.
— Il m'a ordonné de le suivre. On est descendus dans leur local de sécurité et là, sans que je l'aie vu venir, ils m'ont attachée et bâillonnée. Puis ils m'ont emmenée dans le stationnement souterrain et cachée dans un fourgon jusqu'à la raffinerie.

— T'as vu des gens que tu connaissais depuis ?

— Non. Trois gardiens se sont relayés pour m'interroger. Ils voulaient savoir pour qui je travaillais. Ils voulaient récupérer les dossiers copiés. J'ai rien lâché. Je me suis dit que… quelqu'un me trouverait. Je ne pouvais pas croire que j'étais prisonnière d'une compagnie pétrolière ! On est au Québec, ici, pas en Corée du Nord ! À un moment, je suis allée aux toilettes et j'en ai profité pour lancer mon foulard devant la fenêtre. C'est tout ce que je pouvais faire.

— On a vu ton bandana, dit Jay.

— Le seul truc sympa qu'ils ont fait, c'est de m'apporter des fruits et des légumes à la place de la pizza au pepperoni du premier jour.

Pedro est tout pâle. Il sent le regard de Jay qui pèse sur lui.

— Pendant que Lynou enquêtait au siège social, *jé* faisais pareil au centre technique. J'ai *oune* formation de responsable des exploitations, avec *oune especialización* en sécurité…

Il se tait, boit une gorgée de la tasse de café devant lui. Il semble troublé.

— *Jé souis* sorti de mon bureau quand j'ai reconnu Zéro. J'ai alors *vou* les autres chiens, *pouis* toi. J'ai aussitôt traversé par la porte *dou* personnel avec mon passe et attrapé la première arme qui me tombait sous la *mano*…

— L'extincteur, dit Jay.

Voilà qui explique la présence inattendue de Pedro.

— Mais qu'est-ce que tu as découvert exactement, Lynou ? demande l'adolescent.

— Ça !

La jeune femme désigne un tableau incompréhensible.

— L'oléoduc doit emprunter plusieurs canaux, si je peux dire. Certains tronçons sont à construire entièrement. D'autres existent déjà, mais ils sont vieux.

TRACÉ
OLÉODUC

— Et *sourtout*, FuelPine veut inverser le flux, complète Pedro.

— Ils ont donc procédé à des tests secrets pour s'assurer que la matière lourde récoltée dans les sables bitumineux pourra être transportée sans risque.

— Ils doivent la diluer, précise Pedro. On appelle ce mélange du *dilbit*.

— Et ? demande Jay.

— Leurs tests démontrent que l'inversion et la viscosité du mélange, qui ressemble à de la mélasse, posent un gros problème. Les risques d'accident sont décuplés. FuelPine a décidé de cacher ces résultats.

— C'est malade ! s'écrie Jay.

— Et criminel, ajoute Pedro.

— Et surtout terrible pour l'environnement, conclut Lynou. En cas de déversement dans une rivière, le *dilbit* ne flotte pas comme du pétrole. Au contact de l'eau, le diluant s'évapore. Le bitume descend alors dans le fond et étouffe tout : la faune, la flore… Ça s'est déjà produit.

Zéro ronfle aux pieds de Lynou. Dali observe ces trois humains qui ont envahi son espace vital. Il semble plutôt heureux d'avoir de la compagnie.

— Il faut prévenir la police, suggère Pedro.

— D'abord, il faut alerter l'opinion publique. Ça prend une conférence de presse, déclare Lynou.

Elle a retrouvé des couleurs. Sa détermination fait plaisir à voir.

Zéro redresse les oreilles, hésite une seconde, puis reste allongé aux pieds de sa maîtresse.

— Je peux vous donner un coup de main, lance Jay.

Le retour de la routine n'est pas encore pour aujourd'hui.

FuelPine
Vendredi,14 h 05

Balade sur le mont Royal. Il fait très chaud. Les chiens courent après les balles. Rex rapporte sa rouge plus vite que la musique. Jay sourit, détendu. Il se sent bien. Les bouchons dans les oreilles, la vie ressemble à un film muet.

Jay vérifie l'heure sur sa montre. Il n'y a pas de temps à perdre. Il appelle les chiens et ils redescendent le chemin de ceinture.

Après les avoir tous raccompagnés, il garde Zéro et roule jusqu'à l'avenue du Mont-Royal. Il se gare et marche vers une petite boutique transformée en cellule de crise.

Ça grouille de monde sur le trottoir. Jay aperçoit le voisin qui fait semblant de ne pas le reconnaître.

Des camions de télévision déploient leurs antennes. Deux autos-patrouille bloquent la voie de droite. Des policiers casqués sont en faction devant la vitrine où une immense banderole a été suspendue : *Conférence de presse à 16 h. Les pétrolières nous mentent.*

Ça promet.

Jay voit alors le sergent Mazenc et l'agente Lefebvre qui photographie la foule. Décidément, tout le monde qu'il connaît s'est donné rendez-vous ici. Il les salue.
— Vous avez retrouvé Lynou ? demande-t-il au
    crâne rasé.

Le détective fait une moue qui doit signifier « oui ».

Jay se faufile entre les badauds, Zéro sur ses talons.

Ils rejoignent Lynou dans le local bondé. Elle porte un nouveau bandana noir et arbore un chandail où est écrit en gros :

Elle révise son texte, tapé en gros sur des feuilles recyclées.

— Les photos sont là, indique-t-elle à Jay.

Des tirages grand format sont tournés vers le mur du fond. Jay les passe en revue.

— On y va ! lance Pedro, qui invite Lynou à s'installer derrière une table couverte de micros.

Jay sait exactement ce qu'il doit faire. La veille, ils ont répété leur intervention comme une pièce de théâtre.

Lynou attaque :

— FuelPine ment ! FuelPine séquestre ! FuelPine torture !

Derrière elle, Jay brandit les images de l'appartement saccagé et de Lynou ligotée sur le lit de camp.

Les flashs crépitent.

Pedro distribue ensuite des documents aux journalistes devant eux. Il n'y en aura pas assez tellement ils se les arrachent.

— FuelPine pollue ! FuelPine dissimule ! FuelPine tue !

Jay est impressionné. Elle a changé son texte depuis hier.

Lynou explique alors son histoire, son enlèvement et sa séquestration, puis sa libération par « un jeune militant courageux et rusé ».

Ils se sont mis d'accord pour que Jay reste anonyme. Il ne tient pas à voir des reporters débarquer chez lui et encore moins à devoir justifier ses gestes devant Patrick et les propriétaires d'une dizaine de chiens.

L'adolescent se cache derrière les clichés chocs en rigolant.

Lynou entre ensuite dans le vif du sujet avec les rapports techniques, les études secrètes, le bitume, le *dilbit*, le flux inversé… Elle est enflammée, convaincante, impitoyable. FuelPine a maintenant à qui parler.

Jay accroche les tirages des photos en arrière.

Il salue Zéro dont la queue bat au rythme d'un métronome survitaminé. Son rôle de promeneur de chiens s'arrête là. Ses vacances commencent. Jay est libre, seul et fier de ce qu'il a fait.

Il sait qu'il vient de trouver sa place dans le monde : au cœur de l'action, mais incognito.

MÉTÉO

Tu lis dehors   ensoleillé
Tu lis à l'intérieur   plafond bas
Tu lis dans le bain   humide
Tu lis en vélo   pas conseillé

Le Zèbre Libre

★ LA NOUVELLE EN NOIR ET BLANC ★

VOL CLX, NO 58, 254

MERCREDI LE 10 AOÛT

Édition tardive

Aujourd'hui, un lecteur s'ap...
inévitablement de la fin de so...
Vd-t-il rester sans lecture long...
Connait-t-il l'existence...
titres de la célèbre et unique col...
Zèbre, reconnu internationa...
comme étant la plus fantast...
l'univers? Notre chroniqueur se...
la question en p.4.

Des zèbres
et des zombies, le nouveau
jeu vidéo viral, en p.8.

FUELPINE SOUS ENQUÊTE

EXCLUSIF

Les enquêteurs du département des affaires commerciales et environnementales ont annoncé jeudi le lancement d'une enquête au sujet de l'entreprise FuelPine par les autorités concernées après les évènements troublants révélés cette semaine par le journal Zèbre. L'agence de protection de l'environnement (APE) a ouvert un «examen préliminaire» concernant les allégations d'enlèvement, de séquestration, de torture et de manipulation d'information permettant à l'entreprise FuelPine

«Il est important d'insister sur le fait que la décision de l'APE est une réponse énergique à ces allégations», a relevé l'agence, qui a rencontré les victimes plus tôt cette semaine lors du déclenchement de l'enquête. «Ce que nous savons, c'est que FuelPine a clairement cherché à dissimuler de l'information critique sur son projet. Les allégations de séquestration et de torture sont très graves et semblent crédibles. Nous devons nous assurer d'analyser les faits avant de porter des accusations. Cette affaire a suscité de nombreuses réactions auprès de la population et des groupes de pression.»

La principale victime a réagi au

SOUS EN...

EXCLUSIF

Les enquêteurs du département des affaires commerciales et environnementales ont annoncé jeudi le lancement d'une enquête au sujet de l'entreprise FuelPine par les autorités concernées après les évènements troublants révélés cette semaine par le journal Zèbre. L'agence de protection de l'environnement (APE) a ouvert un «examen préliminaire» concernant les allégations d'enlèvement, de séquestration, de torture et de manipulation d'information permettant à l'entreprise FuelPine

«Il est important d'insister sur le fait que la décision de l'APE est une réponse énergique à ces allégations», a relevé l'agence, qui a rencontré les victimes plus tôt cette semaine lors du déclenchement de l'enquête. «Ce que nous savons, c'est que FuelPine a clairement cherché à dissimuler de l'information critique sur son projet. Les allégations de séquestration et de torture sont très graves et semblent crédibles. Nous devons nous assurer d'analyser les faits avant de porter des accusations. Cette affaire a suscité de nombreuses réactions auprès de la population et des groupes de pression.»

La principale victime a réagi au